A Jules y Tom

Ronda del General Mitre 95, 08022 Barcelona
e-mail: corimbo@corimbo.es
www.corimbo.es
Traducción al español: Rafael Ros
1ª edición noviembre 2004

Título de la edición original: «L'ami du petit tyrannosaure»
Impreso en Francia por Mame, Tours
ISBN: 84-8470-175-1

Florence Seyvos – Anaïs Vaugelade

El amigo del pequeño tiranosaurio

Corimbo

Había una vez un pequeño tiranosaurio que no tenía amigos porque se los había comido a todos.

Y eso que hacía lo posible por no hacerlo. Pero siempre pasaba lo mismo. El pequeño tiranosaurio encontraba a alguien que le era simpático y se sentaba a su lado para entablar conversación.

Al instante notaba un cosquilleo en el estómago. Entonces miraba a derecha e izquierda para ver si había alguna hormiga con que matar el gusanillo.

De repente le entraba un hambre atroz. Pero como encontraba a su nuevo amigo verdaderamente simpático, le proponía ir a jugar a su casa o a la playa.

Y entonces se producía la catástrofe. El pequeño tiranosaurio se abalanzaba sobre su nuevo amigo y se lo zampaba de un bocado.

«¡Perdón, perdón!», decía inmediatamente el pequeño tiranosaurio.
Pero, claro, demasiado tarde.

Aquella mañana el pequeño tiranosaurio acababa de comerse a su último amigo.
Ahora estaba solo, completamente solo, en medio del bosque.
Sabía que nunca tendría un amigo.
Entonces le embargó una inmensa tristeza y rompió a llorar.
También supo que pronto volvería a tener hambre, y lloró aún con más fuerza.
Alguien se acercó.
Era alguien que se llamaba Molo y venía de otro bosque.

«¡Vete!», le gritó el pequeño tiranosaurio. «¡Si no, te comeré!»
Molo no se movió.
«No te preocupes», dijo, «tengo el poder de volverme incomestible. Simplemente pronuncio mentalmente una fórmula mágica y adquiero, de repente, un sabor asqueroso.»

«¿Y has dicho ya tu fórmula?», preguntó el pequeño tiranosaurio.
«Acabo de hacerlo», respondió Molo.
Más tranquilo, el pequeño tiranosaurio le contó su historia.

«Escucha», dijo Molo, «me gustaría mucho ser tu amigo. Estoy seguro de que es posible. Pero primero tienes que comer. Voy a hacerte un pastel. Soy un excelente pastelero.»
Repitiendo la fórmula mentalmente, Molo abrió su maleta-cocina e hizo rápidamente un magnífico pastel. Cortó un pequeño trozo para él y ofreció el resto al pequeño tiranosaurio.
«¿Lo ves?», dijo, «no has intentado comerme mientras preparaba el pastel. Mañana probaremos algo más difícil y te prometo que, en tres días, seremos amigos para siempre.»
Llegó la hora de dormir y se dijeron adiós.
Molo pasó la noche en un escondite porque no sabía decir la fórmula dormido.

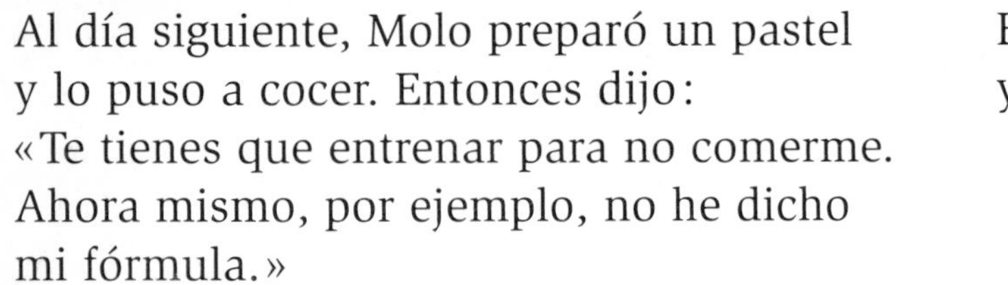

Al día siguiente, Molo preparó un pastel
y lo puso a cocer. Entonces dijo:
«Te tienes que entrenar para no comerme.
Ahora mismo, por ejemplo, no he dicho
mi fórmula.»

El pequeño tiranosaurio miró el pastel
y pensó que tardaba mucho en cocerse.

Se lanzó sobre Molo y se lo zampó
entero.

Pero lo escupió inmediatamente, porque realmente tenía un sabor asqueroso.

«¡Uf!», dijo Molo, «he tenido el tiempo justo de decir la fórmula. Ha ido de un pelo.»
El pequeño tiranosaurio estaba muy contento de que la fórmula hubiera funcionado.
Pero también se sentía avergonzado de lo que había hecho. Se sentía fatal.
«No te preocupes», dijo Molo. «Tengo confianza. Progresarás. En dos días seremos amigos para siempre.»

Cuando se despedían, el pequeño tiranosaurio le preguntó a Molo:
«¿Por qué no repites constantemente tu fórmula?
Así no te comerá nadie.»
«Porque cuando no estoy en peligro, prefiero tener buen gusto», respondió Molo.

Al día siguiente, Molo dijo al pequeño tiranosaurio
que el pastel tardaría un poco más en cocerse.
También le dijo que no tenía intención de pronunciar
la fórmula.

El pequeño tiranosaurio se tiró por el suelo llorando.
«¡Quiero comerte!
¡Quiero comerte! ¡Quiero comerte!», gritó.

Pero no se comió a Molo porque el pastel estuvo listo justo a tiempo.
«Ya verás», le dijo Molo, «solamente nos falta conseguir otra cosa
y mañana seremos amigos para siempre.»

Al día siguiente, Molo tenía mala cara y un brazo enyesado.
«Me he roto el brazo», dijo, «lo siento, pero no puedo hacer el pastel.»
«Tendrás hambre», añadió.
«Mucha hambre.
Pero no diré mi fórmula. Si quieres puedes comerme.
Venga, cómeme.»

El pequeño tiranosaurio respondió:
«Creo que voy a hacer un pastel. ¿Me enseñas?»

Y así fue como el pequeño tiranosaurio hizo su primer pastel…

… y consiguió no comerse a su amigo.

Cuando el pastel estuvo cocido, Molo se quitó el yeso.
«No me he roto el brazo de verdad», dijo, «¿Me perdonas por haberte mentido?»
El pequeño tiranosaurio no estaba nada enfadado. Se sentía orgulloso y feliz.
Tenía, por fin, un amigo para siempre.

¡salud!